6 这是我的书 It's MY BOOK

6级：300字

汉字的故事

作者：程以克（Vicki Cheng）
插图：陶红亮（Hongliang Tao）

北京语言大学出版社
BEIJING LANGUAGE AND CULTURE UNIVERSITY PRESS

PHOENIX TREE
PHOENIX TREE PUBLISHING INC.

识读 写字 动作 声音 水 手

句型 ……也……

字数 300字

jǐ qiān nián qián zhōng guó rén jiù huì xiě zì le nà shí
几千年前，中国人就会写字了。那时

hou tā men xiě de shì yì zhǒng xiàng tú huà yí yàng de zì
候，他们写的是一种像图画一样的字。

rén shì yí gè zhàn zhe de rén shān yǒu sān gè gāo
“人”是一个站着的人；“山”有三个高

gāo de shān tóu yuè kàn shang qu jiù xiàng shì gè yuè liang
高的山头；“月”看上去就像是个月亮。

kě shì shān hǎo huà rén hǎo huà yú jiù bù hǎo huà le dòng wù yě bù hǎo huà zài shuō lǎo zhè me huà tài màn le

可是，“山”好画，“人”好画，“鱼”就不好画了，“动物”也不好画。再说，老这么画，太慢了！

hòu lái hàn zì jiù yì diǎn yì diǎn de biàn le hěn duō hàn zì
后来，汉字就一点一点地变了。很多汉字

yǒu le xiāng tóng de bǐ huà zhè ràng dà jiā xué de huì jì de
有了相同的笔画，这让大家学得会、记得

zhù zài hòu lái bù shǎo hàn zì jiù yǒu le liǎng gè bù fen
住。再后来，不少汉字就有了两个部分：

biǎo shì yì si de bù fen hé biǎo shì shēng yīn de bù fen
表示意思的部分和表示声音的部分。

yáng hé hé liǎng gè zì de zuǒ bian dōu shì
“洋”和“河”两个字的左边都是

sān diǎn shuǐ yīn wèi tā men dōu hé shuǐ yǒu guān
“三点水”，因为它们都和水有关。

yòu bian de yáng kě hé shēng yīn yǒu guān
右边的“羊”“可”和声音有关。

zhè xiē zì nǐ men dōu huì dú pāi pū bào
这些字你们都会读：拍、扑、抱、

zhuā bā tā men de zuǒ bian dōu yǒu gè shǒu
抓、扒。它们的左边都有个“手”，

yīn wèi zhè xiē dōu shì yòng shǒu lái zuò de dòng zuò
因为这些都是用手来做的动作。

tā men de yòu bian shì hé shēng yīn yǒu guān de bù fen
它们的右边是和声音有关的部分。

zhè xiē nǐ men yě dōu rèn de ba chī chàng
这些你们也都认得吧？吃、唱、

hē tā men de zuǒ bian dōu yǒu gè kǒu yīn
喝。它们的左边都有个“口”，因

wèi zhè xiē dòng zuò dōu hé zuǐ yǒu guān
为这些动作都和嘴有关。

扌(意思)+包(声音)=抱(形声字)

biǎo shì yì si de bù fen hé biǎo shì shēng yīn de bù
表示意思的部分和表示声音的部
fen yì qǐ zǔ chéng le xíng shēng zì wǒ men xiàn
分一起组成了“形声字”。我们现
zài xué xí de hàn zì hěn duō dōu shì xíng shēng zì
在学习的汉字，很多都是形声字。

1 几千年前，中国人就会写字了。那时候，他们写的是一种像图画一样的字。“人”是一个站着的人；“山”有三个高高的山头；“月”看上去就像是个月亮。

2 可是，“山”好画，“人”好画，“鱼”就不好画了，“动物”也不好画。再说，老这么画，太慢了！

3 后来，汉字就一点一点地变了。很多汉字有了相同的笔画，这让大家学得会、记得住。再后来，不少汉字就有了两个部分：表示意思的部分和表示声音的部分。

4 “洋”和“河”两个字的左边都是“三点水”，因为它们都和水有关。右边的“羊”“可”和声音有关。

5 这些字你们都会读：拍、扑、抱、抓、扒。它们的左边都有个“手”，因为这些都是用手来做的动作。它们的右边是和声音有关的部分。

6 这些你们也都认得吧？吃、唱、喝。它们的左边都有个“口”，因为这些动作都和嘴有关。

7 表示意思的部分和表示声音的部分一起组成了“形声字”。我们现在学习的汉字，很多都是形声字。

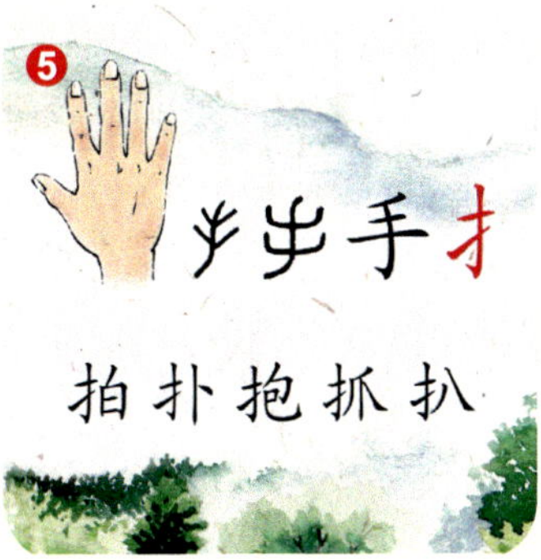

扌(意思)+包(声音)=抱(形声字)